titeuf

petite poésie des saisons

Glénat

Tchô! La collec... Collection dirigée
par Jean-Claude Camano
© 2005, Badaboum
© 2005, Éditions Glénat pour la présente édition - BP 177 - 38008 Grenoble Cedex
Tous droits réservés pour tous pays
Dépôt légal : novembre 2005

préface

ATTENTION ! CE LIVRE EST TRÈS SPÉCIAL, PARCE QU'IL A PLUSIEURS USAGES ...

... ON PEUT LE LIRE ...

WAF ! TA TRONCHE, LÀ ǦǦ

QUOI ? ... MAIS ? C'EST PÔ DU TOUT MOI !!

ON PEUT NOTER LES DATES IMPORTANTES DANS LE CALENDRIER ...

LE 12 ...

... ANNI ... VERSAIRE ... DE ... NA ... ... DIA.

FA FERT À RIEN, PAFQUE, DE TOUTES FAFONS, NADVIA, ELLE T'INVITERA PAS À FON ANNIVERFAIRE ...

T'ES TROP NAVE

... EN PLUS ...

ZBAK

... IL A UNE RELIURE TRÈS SOLIDE !

C'EST UN LIVRE MÉGA-INDISPENSABLE !

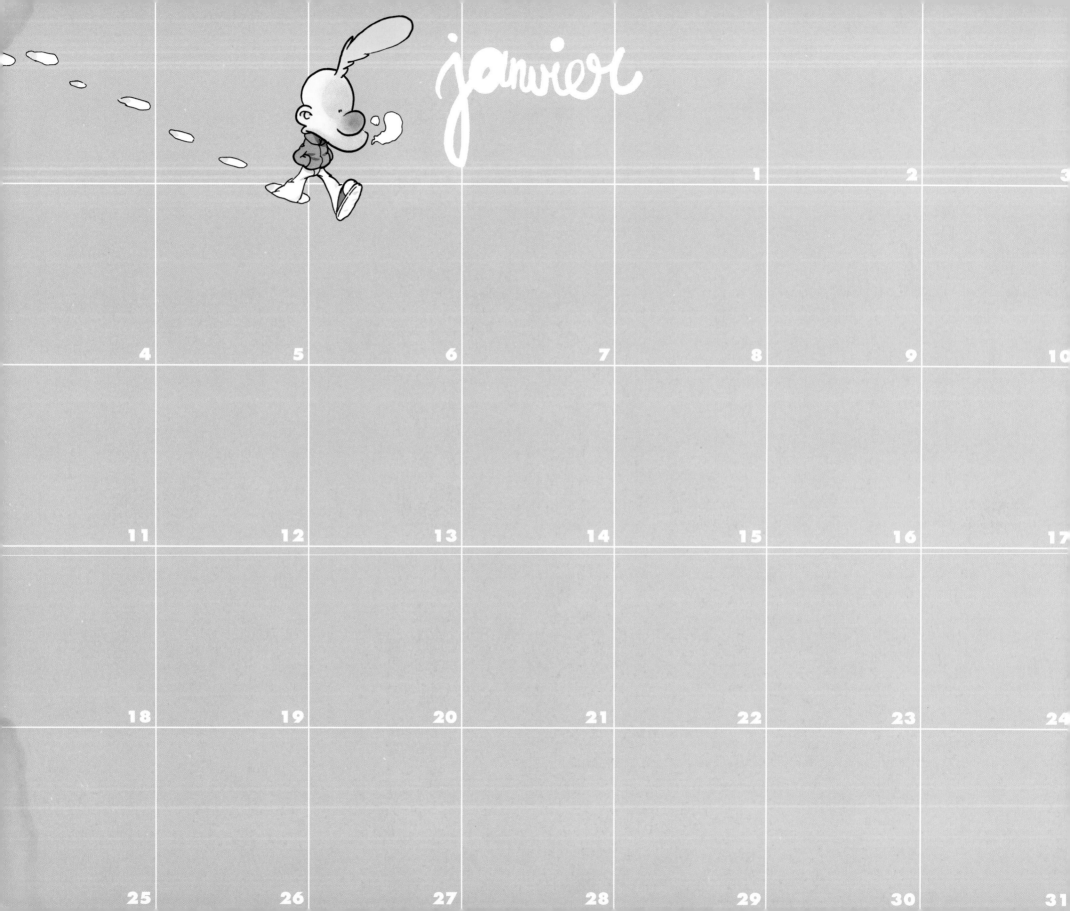

cette année...

CETTE ANNÉE, JE FAIS DU SPORT...

CETTE ANNÉE, JE SORS AVEC NADIA...

CETTE ANNÉE, JE BOSSE LES MATHS...

CETTE ANNÉE, JE RANGE MA CHAMBRE...

CETTE ANNÉE, VOUS ALLEZ VOIR...

l'hiver et son blanc manteau

game over

Dans Ninja-Démolition-Fight III, j'ai mis au tapis tous les karatékas...

Dans Pokémon XXII, j'ai capturé 123 personnages, plus leurs évolutions...

Dans Donjon Baston VII, j'ai découpé en rondelles le dragon-gobeur-de-cervelles...

Dans Tripalair XI, j'ai fait de tous les morts-vivants des morts-morts.

Dans Apocalypse Global Destruction V, j'ai pulvérisé tous les vaisseaux ennemis.

J'ai semé tous les autres bolides dans Crashvroarbroum III...

...Y'a que dans École Fight II que je reste désespérément bloqué au niveau 1

: mon ami le printemps :.

mon ami le printemps
nous ramène le soleil
et la nature se réveille

mon ami le printemps
arrive avec ses rayons
et hop! la neige fond

mon ami le printemps
nous réchauffe le coeur
il fait pousser les fleurs

mon ami le printemps
dégèle les flaques d'eau,
les cacas de chien et les ruisseaux

mon ami le printemps
fait bourgeonner
les arbres dans les prés

mon ami le printemps
quelle joie de te revoir

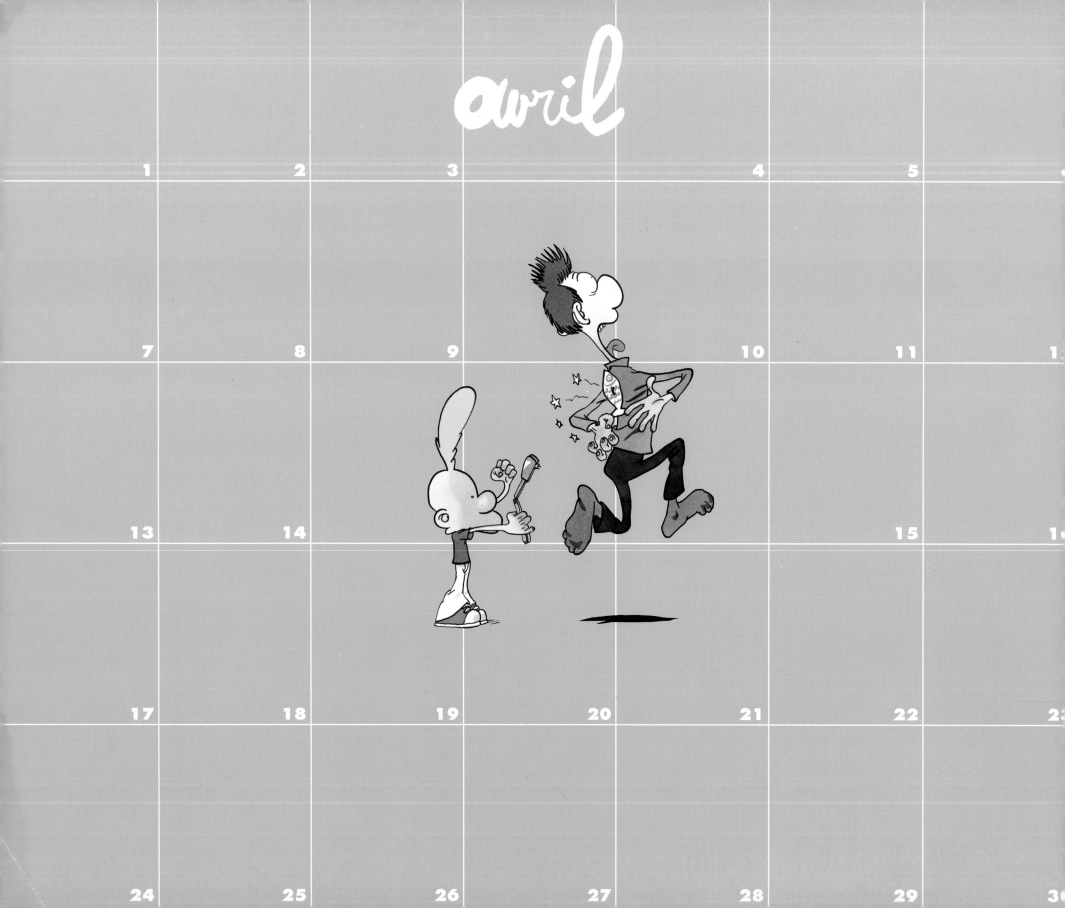

mes meilleurs poissons d'avril

CETTE ANNÉE, JE ME SUIS DONNÉ DE LA PEINE POUR FAIRE RIRE TOUT LE MONDE...

LE TUBE DE MOUTARDE À LA PLACE DU DENTIFRICE !!

OUAF ! POISSON D'AVRIL !!

... TRÈS DRÔLE, TITEUF.

... AVEC MON GROZMONSTER...

AVEC DES PAMPERS USAGÉS...

PROUTCH

J'AI AUSSI CUSTOMISÉ LE SAC DE MANU...

QU'EST-CE QUE T'AS À RIGOLER COMME UN DÉBILE ?

JE PUE DU SLIP

... EMPRUNTÉ LE MICRO DU SECRÉTARIAT...

PROUT !

BREF... ON S'EST BIEN MARRÉS !

AUJOURD'HUI, NOUS ALLONS PARLER DES ABEILLES...

Y'A QU'À LA TÉLÉ OÙ LEURS BLAGUES ÉTAIENT **VRAIMENT** NULLES.

... UNE INTERVENTION MILITAIRE EN IRAK QUI FERA DES MILLIERS DE VICTIMES...

la saison des amours

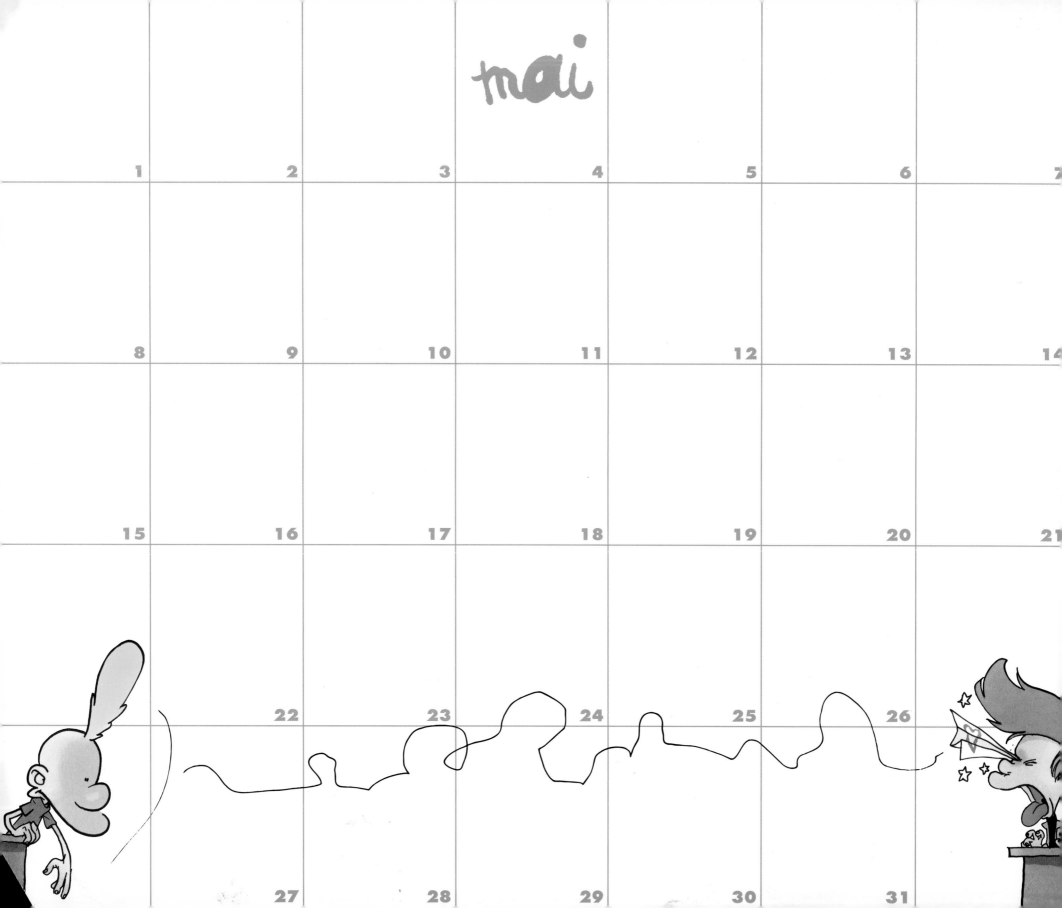

Si j'avais des pouvoirs magiques...

...JE RÉDUIRAIS LES RACKETTEURS DU QUARTIER À LA TAILLE DE SCHTROUMPFS

J'AIDERAIS MES COPAINS À DÉVELOPPER CE QU'ILS ONT DE MEILLEUR...

JE RELOOKERAIS KEVIN LOVER, L'IDOLE DES FILLES...

JE M'OCCUPERAIS AUSSI DE LA MAÎTRESSE...

JE...

au secours!

nouvelle cuisine

LA CUISINE AU FEU DE BOIS, C'EST GÉNIAL !

PÔ BESOIN DE FOURCHETTE, ON TAILLE UNE BRANCHE ...

ON GRILLE DES SAUCISSES ...

... DU FROMAGE, DES MARSHMALLOWS...

ON IMAGINE DES RECETTES RÉVOLUTIONNAIRES ...

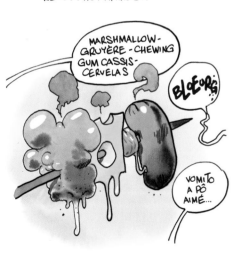

... ON SE RACONTE DES HISTOIRES DE MECS ...

QUAND ON A ASSEZ MANGÉ, ON ÉTEINT...

POURQUOI C'EST JAMAIS COMME ÇA À LA MAISON ?

la fête de la musique

juillet

1   2   3   4   5

6   7   8   9   10

11   12   13   14   15   16   17

18   19   20   21   22   23   24

25   26   27   28   29   30   31

l'école de la piscine

MOI, L'ÉTÉ, JE RÉVISE À LA PISCINE...

LES ESPÈCES ANIMALES ...

LA PHYSIQUE...

LE FRANÇAIS...

L'HISTOIRE...

ET QUAND LA CLOCHE SONNE, ON S'EN VA ...

APRÈS, LE TRUC NUL, C'EST LA DOUCHE.

mortal démo

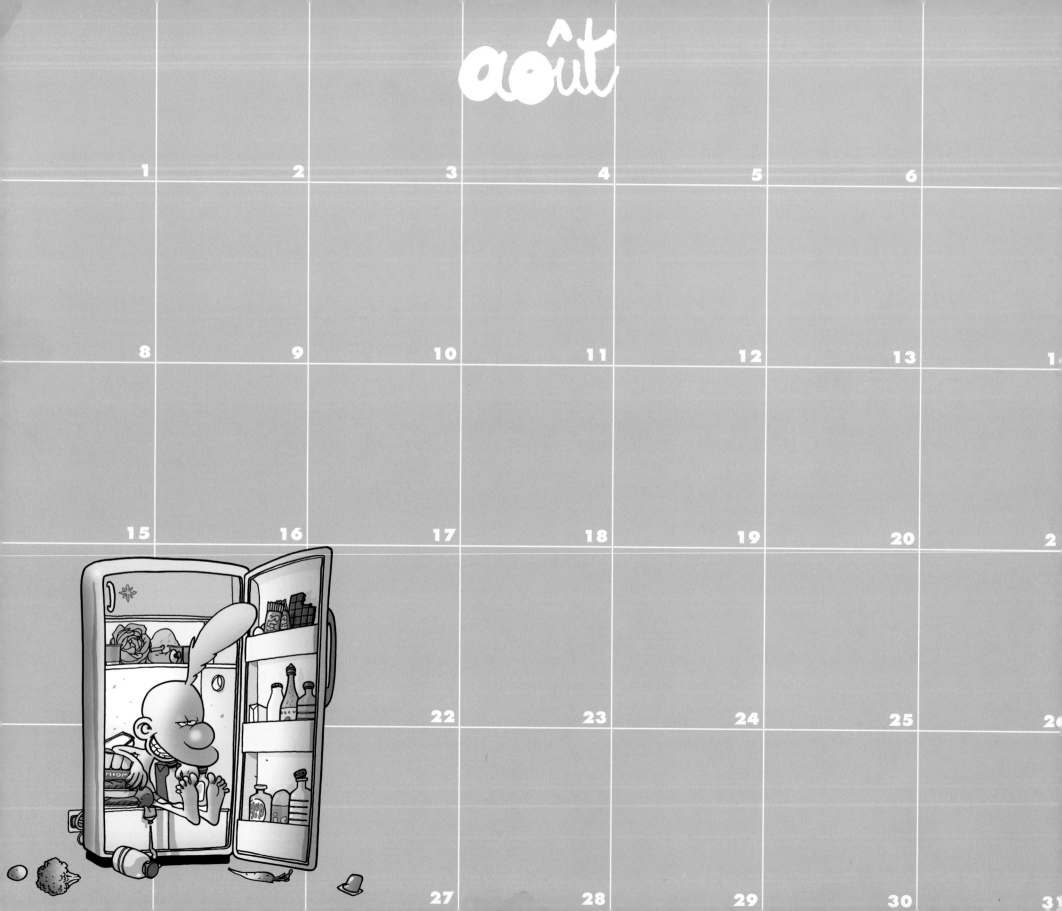

auréoles-contest

QUAND IL FAIT SUPER CHAUD, AVEC MANU ON A UN JEU TROP DRÔLE...

"... LE "AURÉOLES-CONTEST"

CELUI QUI TROUVE LA PLUS GROSSE TACHE DE TRANSPIRATION A GAGNÉ !

M'SIEUR, VOUS AVEZ L'HEURE ?

IL EST ... ?

LUI !

WAF ! PÔ MAL ! UN BON 25 CENTIMÈTRES ...

ON ESTIME LE DIA- MÈTRE...

TAXIS

SUPER-CHAMPIONNE DE L'AISSELLE !

MÉGA-CRÊPE !!

... ON COMPTE LE NOMBRE D'AURÉOLES

LÀ ! DALMATIEN-MAN !!

NOTE ARTISTIQUE WAHAHAHIHI !

T'AS GAGNÉ ! ON VA PRENDRE UNE GLACE CHEZ MOI ?

D'AC'

ÉVIDEMMENT, Y'A TOUJOURS CEUX QUI ONT RIEN COMPRIS AUX RÈGLES...

TU AS ENCORE PASSÉ L'APRÈS-MIDI À TRANSPIRER DANS TES BASKETS !! TU ES LE ROI DES COCHONS !!

MAIS NON, ÇA COMPTE PÔ ...

ZÉRO POINT.

les souvenirs de vacances

LE T-SHIRT FOLKLORIQUE
DE PUDUK…

LE JOUET FOLKLORIQUE DE MARCO…

L'INSTRUMENT DE MUSIQUE DÉBILE
FOLKLORIQUE DE FRANÇOIS…

LE COUP DE SOLEIL
FOLKLORIQUE DE MANU…

LE CHAPEAU FOLKLORIQUE
DE JEAN-CLAUDE…

LES BABOUCHES FOLKLORIQUES
D'HUGO…

LE CD FOLKLORIQUE DE PAPA…

LA PHOTO FOLKLORIQUE DE NADIA…

septembre

1	2	3	4	5
7	8	9	10	11	12	13
14	15	16	17	18	19	20
21	22	23	24	25		
26	27	28	29	30		

la rentrée

dans le futur :

JEAN-CLAUDE POURRA CAPTER LA RADIO AVEC SON APPAREIL DENTAIRE...

ON LAVERA PUDUK' GRÂCE AU LASER...

IL Y AURA DES TRADUCTEURS ÉLECTRONIQUES POUR COMMUNIQUER AVEC LES FILLES...

LES ÉPINARDS SERONT TRANSMUTÉS EN BONBONS ET ON POURRA CHOISIR LE GOÛT...

CHACUN AURA 3 OU 4 CLONES POUR FAIRE LES TÂCHES QUOTIDIENNES PENDANT QU'ON S'OCCUPERA DE L'ESSENTIEL...

LA MAÎTRESSE SERA AU MUSÉE...

...ET IL Y AURA DES TÉLÉCOMMANDES À PARENTS.

la menace de l'automne

moi j'aime bien l'automne...

tout tombe...

on ramasse les feuilles...

les marrons...

les fruits trop murs...

LES DINOSAURES SONT DE RETOUR...
ILS FONT TREMBLER LA TERRE...

...ILS SÈMENT LA PANIQUE...

ILS PIÉTINENT TOUT...

C'EST UN MONDE DANGEREUX

LES DINOSAURES MANGENT DES TONNES DE VIANDE FRAÎCHE...

...ENSUITE, ILS VONT DIGÉRER

MAINTENANT, JE SAIS POURQUOI
LES DINOSAURES ONT DISPARU...

novembre

| 1 | 2 | 3 | | 4 | 5 |

| 7 | 8 | 9 | 10 | 11 | 12 | 1 |

| 14 | 15 | 16 | 17 | 18 | 19 | 2 |

| | 21 | 22 | 23 | 24 | 25 | 2 |

| | | | 27 | 28 | 29 | 3 |

c'est pô juste !

Bruce Banner a été exposé à des radiations ...

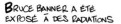

... Après, il est devenu tout vert, avec plein de muscles et il a déchiré ses habits.

Moi aussi j'en ai eu, des radiations ...

... Mais je suis juste devenu vert.

Peter Parker se fait piquer par une araignée ...

... Et paf ! Il devient Spiderman, le super-héros qui épate les filles !

Moi aussi, une fois, je me suis fait piquer par une araignée ... Et ben, c'était pô du tout pareil.

Superman bébé est arrivé d'une autre planète et il a été adopté par des parents terriens ...

... Plus tard, il est devenu super justicier dans son super-costume.

Moi aussi, j'ai souvent l'impression d'avoir des parents d'une autre planète ...

... Et pour le supercostume, c'est mal barré.

J'AI ESSAYÉ LA TRADITIONNELLE COURGE SUR LA TÊTE...

MORVAX A FAIT PAREIL... ÇA FAISAIT VACHEMENT PEUR

VOMITO A DÛ L'ENLEVER... MAIS ÇA MARCHAIT BIEN QUAND MÊME

MANU EN A PRIS UNE TROP MÛRE...

MAIS ON PEUT FAIRE MIEUX AVEC UN VIEUX BALLON DE FOOT...

DE LA PEINTURE, DES MARQUEURS...

UN PEU DE CONFITURE...

LÀ, ON EST VRAIMENT TERRIFIANT!

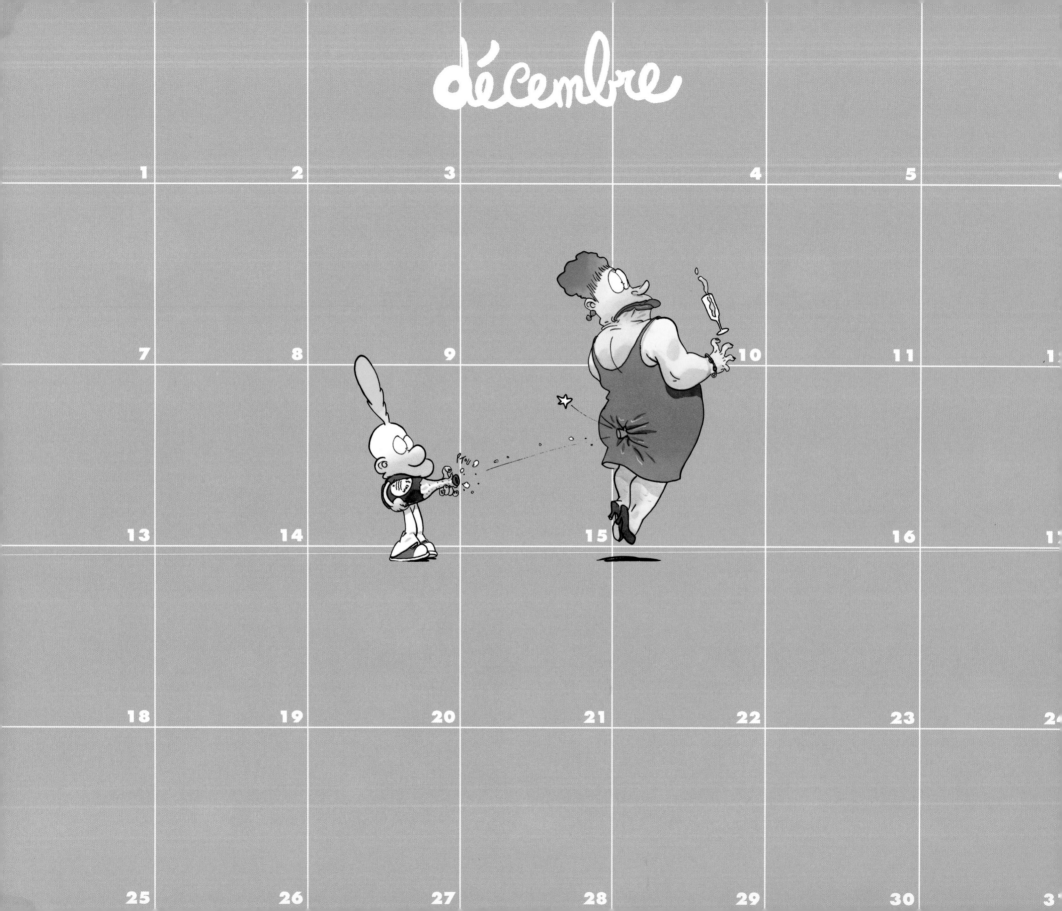

la vengeance de noël

TONTON PAUL M'A OFFERT LE JEU JURASSIC KOMBAT

MOI, JE LUI AI FAIT UN BOUGEOIR EN ROULEAU DE PAPIER-TOILETTE...

PÉPÉ ET MÉMÉ M'ONT ACHETÉ UN JEU POUR LA CONSOLE...

...POUR EUX, J'AI FAIT UN JOLI CADRE EN CARTON ET MACARONIS

DE LA PART DE PAPA ET MAMAN, J'AI REÇU LES NOUVELLES BASKETS NIKE GROOVY PUMP J-200...

...ET EUX, ILS ONT EU UNE HORLOGE DE CUISINE

POUR MA PETITE SOEUR, J'AI VIDÉ MA TIRELIRE !

...ELLE, ELLE M'A FAIT UN TRUC EN PÂTE À MODELER AVEC DES COTONS-TIGE...

la malédiction de fin d'année

IMPOSSIBLE DE FINIR L'ANNÉE EN BEAUTÉ, IL Y A TOUJOURS LE SUPPLICE DE LA BISE ...

AVEC LES AMIS, LES VOISINS, LES TONTONS QUI ONT TROP BU...

L'HORREUR!...

ET ON N'Y ÉCHAPPE PÔ

RIEN À FAIRE ... J'AI TOUT ESSAYÉ

MAIS ILS SONT IMPITOYABLES

HEUREUSEMENT, LE LENDEMAIN, ON PEUT SE VENGER

quel est ton signe astrologique ?

VERSEAU
DU 21 JANVIER AU 18 FÉVRIER

POISSONS
DU 19 FÉVRIER AU 20 MARS

BÉLIER
DU 21 MARS AU 20 AVRIL

TAUREAU
DU 21 AVRIL AU 21 MAI

GÉMEAUX
DU 22 MAI AU 21 JUIN

CANCER
DU 22 JUIN AU 22 JUILLET

LION
DU 23 JUILLET AU 23 AOÛT

VIERGE
DU 24 AOÛT AU 22 SEPTEMBRE

BALANCE
DU 23 SEPTEMBRE AU 23 OCTOBRE

SCORPION
DU 24 OCTOBRE AU 22 NOVEMBRE

SAGITTAIRE
DU 23 NOVEMBRE AU 21 DÉCEMBRE

CAPRICORNE
DU 22 DÉCEMBRE AU 20 JANVIER

quel est ton signe chinois?

RAT
DU 28.01.1960 AU 14.02.1961
DU 15.02.1972 AU 02.02.1973
DU 02.02.1984 AU 19.02.1985
DU 19.02.1996 AU 06.02.1997
DU 07.02.2008 AU 25.01.2009

BUFFLE
DU 15.02.1961 AU 04.02.1962
DU 03.02.1973 AU 22.01.1974
DU 20.02.1985 AU 08.02.1986
DU 07.02.1997 AU 27.01.1998
DU 26.01.2009 AU 13.02.2010

TIGRE
DU 05.02.1962 AU 24.01.1963
DU 23.01.1974 AU 10.02.1975
DU 09.02.1986 AU 28.01.1987
DU 28.01.1998 AU 15.02.1999
DU 14.02.2010 AU 02.02.2011

LIÈVRE
DU 25.01.1963 AU 12.02.1964
DU 11.02.1975 AU 30.01.1976
DU 29.01.1987 AU 16.02.1988
DU 16.02.1999 AU 04.02.2000
DU 03.02.2011 AU 22.01.2012

DRAGON
DU 13.02.1964 AU 01.02.1965
DU 31.01.1976 AU 17.02.1977
DU 17.02.1988 AU 05.02.1989
DU 05.02.2000 AU 23.01.2001
DU 23.01.2012 AU 09.02.2013

SERPENT
DU 02.02.1965 AU 20.01.1966
DU 18.02.1977 AU 06.02.1978
DU 06.02.1989 AU 26.01.1990
DU 24.01.2001 AU 11.02.2002
DU 10.02.2013 AU 30.01.2014

CHEVAL
DU 21.01.1966 AU 08.02.1967
DU 07.02.1978 AU 27.01.1979
DU 27.01.1990 AU 14.02.1991
DU 12.02.2002 AU 31.01.2003
DU 31.01.2014 AU 18.02.2015

CHÈVRE
DU 09.02.1967 AU 29.01.1968
DU 28.01.1979 AU 15.02.1980
DU 15.02.1991 AU 03.02.1992
DU 01.02.2003 AU 21.01.2004
DU 19.02.2015 AU 07.02.2016

SINGE
DU 30.01.1968 AU 16.02.1969
DU 16.02.1980 AU 04.02.1981
DU 04.02.1992 AU 22.01.1993
DU 22.01.2004 AU 08.02.2005
DU 08.02.2016 AU 27.01.2017

IL POURRAIT METTRE UN SLIP AUTOUR DU COU !

COQ
DU 17.02.1969 AU 05.02.1970
DU 05.02.1981 AU 24.01.1982
DU 23.01.1993 AU 09.02.1994
DU 09.02.2005 AU 28.01.2006
DU 28.01.2017 AU 15.02.2018

CHIEN
DU 06.02.1970 AU 26.01.1971
DU 25.01.1982 AU 12.02.1983
DU 10.02.1994 AU 30.01.1995
DU 29.01.2006 AU 17.02.2007
DU 16.02.2018 AU 04.02.2019

COCHON
DU 27.01.1971 AU 14.02.1972
DU 13.02.1983 AU 01.02.1984
DU 31.01.1995 AU 18.02.1996
DU 18.02.2007 AU 06.02.2008
DU 05.02.2019 AU 24.01.2020

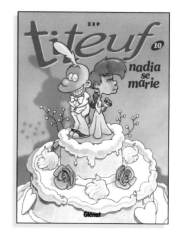

DÉJÀ PARUS

Achevé d'imprimer en Italie en novembre 2005 par Pizzi.